Mae llawer o adeiladau yn y dref.

Dyma rai o'r adeiladau:

Cartrefi
tudalen 4

Canolfan hamdden
tudalen 6

Canolfan siopa
tudalen 8

Gorsaf trên
tudalen 10

Llyfrgell
tudalen 12

Parc y dref
tudalen 14

Dewch i weld adeiladau'r dref.

Cartrefi

Yn y dref, mae pobl yn byw mewn:

tŷ ar wahân

tŷ semi

tŷ teras

byngalo

fflat

bwthyn

Mae pobl yn byw, yn bwyta, yn cysgu ac yn ymlacio gartref.

Cartrefi

Mae llawer o dai yn Amgueddfa Werin Cymru, yn Sain Ffagan, yn ymyl Caerdydd.
Mae rhai o'r tai yn hen iawn.

Dyma dŷ hir.

Mae'r tŷ yn dod o ardal Llangynhafal, Sir Ddinbych.
Mae e tua 500 oed.

Roedd y bobl yn byw yn un ochr. Roedd yr anifeiliaid yn yr ochr arall.

Mae tŷ modern iawn yn yr Amgueddfa Werin hefyd – Tŷ'r Dyfodol.

amgueddfa – museum   **yn ymyl** – near

Canolfan hamdden

Mae pobl yn mynd i'r ganolfan hamdden i chwarae gêmau a nofio. Dyma'r neuadd chwaraeon yn y ganolfan hamdden.

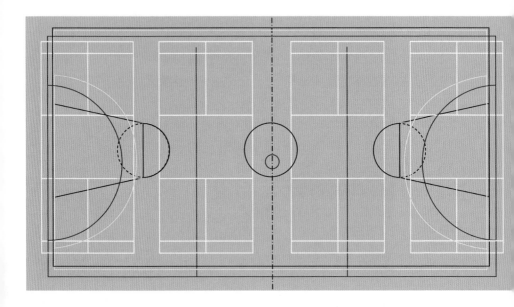

Mae'n bosib chwarae pêl-droed, pêl-rwyd, pêl-fasged a badminton yma. Mae llinellau lliw gwahanol i bob cwrt.

Mae'r llinellau melyn ar gyfer pêl-droed.

Mae'r llinellau coch ar gyfer pêl-rwyd.

Mae'r llinellau du ar gyfer pêl-fasged.

Mae'r llinellau gwyn ar gyfer badminton.

canolfan hamdden – leisure centre

Canolfan hamdden

Mae canolfan hamdden grêt yn y Rhyl – yr Heulfan.

Mae sawl pwll yn yr Heulfan:

- pwll bach – sawl sleid;
- pwll syrffio – tonnau drwy'r amser;
- pwll mawr – tonnau ambell waith. Mae taranau a glaw yn dod cyn y tonnau, fel storm.

Mae trên bach yn mynd o gwmpas y pwll nofio ar drac uchel.

taran – clap of thunder   **ton, tonnau** – wave, waves

Canolfan siopa

Mewn canolfan siopa mae:

siop esgidiau

siop ddillad

siop lyfrau

siop ffrwythau

siop deganau

siop bapur

siop gêmau cyfrifiadur

siop chwaraeon

Mae pobl yn gallu prynu pob math o bethau yn y siopau.

Canolfan siopa

Dyma Siop Gwalia yn Amgueddfa Werin Cymru, yn Sain Ffagan. Mae'r siop yn hen. Mae hi wedi dod o Gwm Ogwr.

Roedd hi'n gwerthu pob math o bethau – fel canolfan siopa.

Roedd siop groser, siop fara, siop ddillad, siop fferyllydd, siop nwyddau haearn a lle bwyd anifeiliaid yno.

Dyma rai o'r bwydydd.

fferyllydd – chemist   **nwyddau haearn** – ironmongery

Gorsaf trên

Mae llawer o bobl yn teithio i'r dref ar y trên. Maen nhw'n mynd i'r orsaf i ddal y trên. Mae'r trên yn mynd â'r bobl i'r dref i weithio, i siopa, i weld ffrindiau ac i gael hwyl.

monitor

ystafell aros

↑ Caffi ⬎

1

BANGOR

giard

platffform

Dyma'r swyddfa docynnau.

Gorsaf trên

Mae trenau bach yng Nghymru hefyd fel:

- Rheilffordd Dyffryn Teifi
- Rheilffordd y Trallwng a Llanfair
- Rheilffordd Fynydd Aberhonddu.

Mae trên bach Cwm Rheidol yn mynd o Aberystwyth i Bontarfynach.

Mae'r daith yn 11 milltir.

Mae'r trac yn gul ac yn serth.

Mae'r injan yn pwyso dros 25 tunnell!

Aberhonddu – Brecon   **cul** – narrow
Pontarfynach – Devil's Bridge   **pwyso** – to weigh
serth – steep   **tunnell** – ton
Y Trallwng – Welshpool

Llyfrgell

Yn y llyfrgell, mae pobl yn chwilio am lyfrau, CDs a fideos.

Mae'r llyfrgellydd yn helpu.

Mae'r llyfrgellydd yn chwilio yn y catalog ar y cyfrifiadur.

Ar ôl dewis, mae'r bobl yn mynd at y ddesg. Mae'r llyfrgellydd yn stampio'r eitemau.

llyfrgellydd – librarian

Llyfrgell

Mae Llyfrgell Genedlaethol Cymru yn Aberystwyth.

Mae tua pedair miliwn a hanner o lyfrau yn y Llyfrgell Genedlaethol.

Llyfr Du Caerfyrddin ydy'r llyfr Cymraeg hynaf yn y Llyfrgell. Mae e tua 750 oed. Mae e'n hen iawn. Rhaid cadw'r llyfr yn ofalus.

Ond mae'n bosib gweld Llyfr Du Caerfyrddin ar gyfrifiadur. Mae e ar wefan y Llyfrgell.

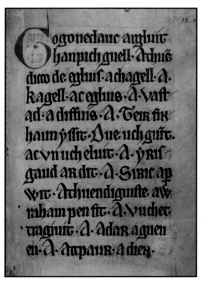

Tudalen o Lyfr Du Caerfyrddin

cyfrifiadur – computer
gwefan – website
hynaf – oldest

Parc y dref

Mae pobl yn mynd i'r parc i fynd am dro, i chwarae ac i ymlacio.

Weithiau mae coed a blodau yn y parc.

mainc

Weithiau mae lle chwarae i blant yno.

llithren

ymlacio – to relax

Parc y dref

Mae parc mawr ym Mhontypridd – Parc Ynysangharad.

Mae gardd bert yno, lle chwarae i blant, pwll padlo, bandstand, lawnt fowlio, cyrtiau tennis a llawer mwy.

Mae cofgolofn i ddau ddyn yn y parc. Nhw ysgrifennodd y gân 'Hen Wlad fy Nhadau' yn 1856.

'Hen Wlad fy Nhadau' ydy anthem genedlaethol Cymru.

Evan James ysgrifennodd y dôn a James James, ei fab, ysgrifennodd y geiriau.

anthem genedlaethol – national anthem
cofgolofn – memorial   **tôn** – tune

Mynegai